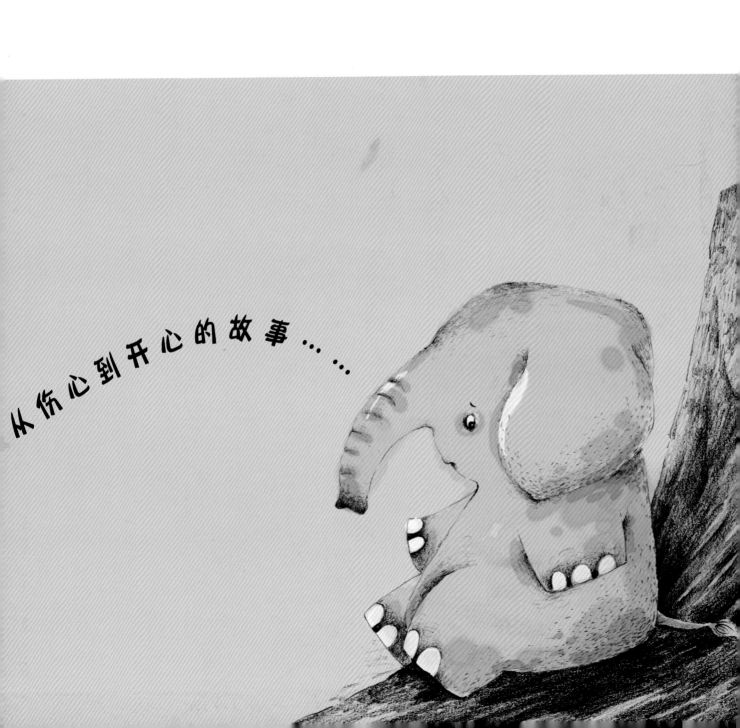

从伤心到开心的故事……

中国风·儿童文学名作绘本书系

小象大耳朵　　高洪波 / 文　　吕秋梅 / 图

图书在版编目（ＣＩＰ）数据

小象大耳朵 / 高洪波文 ；吕秋梅绘 . -- 太原 ： 希
望出版社， 2016.8
（中国风·儿童文学名作绘本书系）
ISBN 978-7-5379-7479-0

Ⅰ . ①小… Ⅱ . ①高… ②吕… Ⅲ . ①儿童故事－图
画故事－中国－当代 Ⅳ . ① I287.8

中国版本图书馆 CIP 数据核字 (2016) 第 196300 号

出 版 人：梁　萍　　　　　　　　　项目策划：王　琦　　陈彦玲
责任编辑：陈彦玲　安　星　　　　　复　　审：李　勇
终　　审：王　琦　　　　　　　　　封面设计：安　星
整体书装：王　蕾　安　星　　　　　印刷监制：刘一新　尹时春

出版发行：希望出版社
地　　址：山西省太原市建设南路 21 号
邮　　编：030012
经　　销：全国新华书店
印　　刷：山西臣功印刷包装有限公司
开　　本：787mm×1092mm　　1/16
印　　张：2.5
版　　次：2016 年 9 月第 1 版
印　　次：2016 年 9 月第 1 次印刷
书　　号：ISBN 978-7-5379-7479-0
定　　价：35.00 元

中国风·儿童文学名作绘本书系

小象大耳朵
XiaoXiangDaErDuo

高洪波/文　吕秋梅/绘

希望出版社

小象本来是有名字的，叫笨笨。

尽管小象不怎么喜欢"笨笨"这个名字，可是"笨笨"是象姥姥给起的，起这个名字的时候姥姥还亲了小象一口，说道："笨笨小甜心，甜心小笨笨。笨笨最可爱，一点也不笨！"小象叹了一口气，心想："人家不笨干嘛叫笨笨？"后来又一想："姥姥最爱我，叫我啥都行。"这么一想，小象心里又高兴了，一高兴，就答应去森林幼儿园了。

小象天生一对超大型耳朵，动起来呼扇呼扇的。小象在家里时，并不觉得自己的耳朵特别大，因为爸爸耳朵大，妈妈耳朵大，姥姥的耳朵更大。是呀，哪头大象没有一双大耳朵呢？而且小象注意到妈妈扫地的时候不用笤帚，而是用大耳朵左右那么一扇，哈！地板上光滑得可以溜冰！大耳朵可有用呢！

04

小象笨笨一进森林幼儿园，糟糕的事情就出现了。

什么事情呢？耳朵。

森林幼儿园的小朋友耳朵都不大。小刺猬的耳朵根本看不见。小猴子的耳朵又红又小。小象左看看，右看看，大家确实和他不一样。

06

07

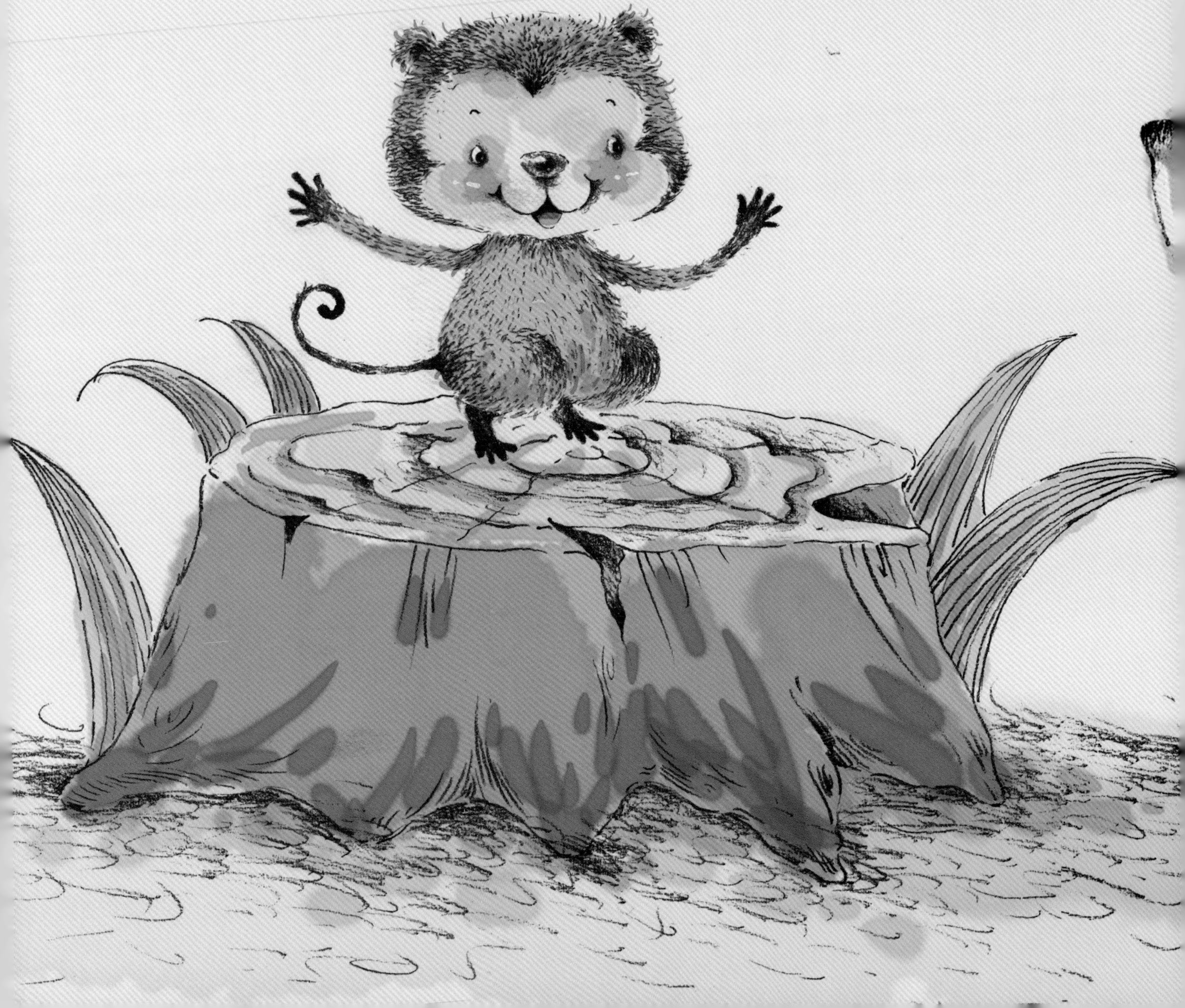

这时小猴子先拿小象笨笨开玩笑，他说道："这头小象好古怪，耳朵大得像锅盖！别叫笨笨啦，快快改过来！"

小象傻乎乎地问小猴："不叫笨笨叫什么？"小猴子一拍手，喊道："改成小象大耳朵！"

就这样，小象笨笨变成了小象大耳朵！

以前小象有事没事就扇动耳朵，他觉得这挺正常，挺自然，可现在他刚想这么做，脑海里马上想到小猴子顽皮的笑脸。

"嗯，不好，我的耳朵太大，别乱扇，贴紧脑门儿，加点小心！"小象心里想

大耳朵居然成了小象的负担。

接下来发生的事改变了小象"不扇耳朵贴紧脑门儿"的做法。

12

这一天上音乐课，黄莺老师教大家唱歌。

天气很热，热得每个人的汗水都从脑门上往下淌，汗水淌进他们的眼睛里，大伙不停地眨巴眼，让黄莺老师感到古怪万分，她问大家："我唱错了吗？"大家一起摇头。

"那么你们为什么老冲我挤眼睛？"黄莺老师问道。

"报告老师，屋里太热，是汗珠钻进我们的眼睛里了！"小猴子举手回答。

14

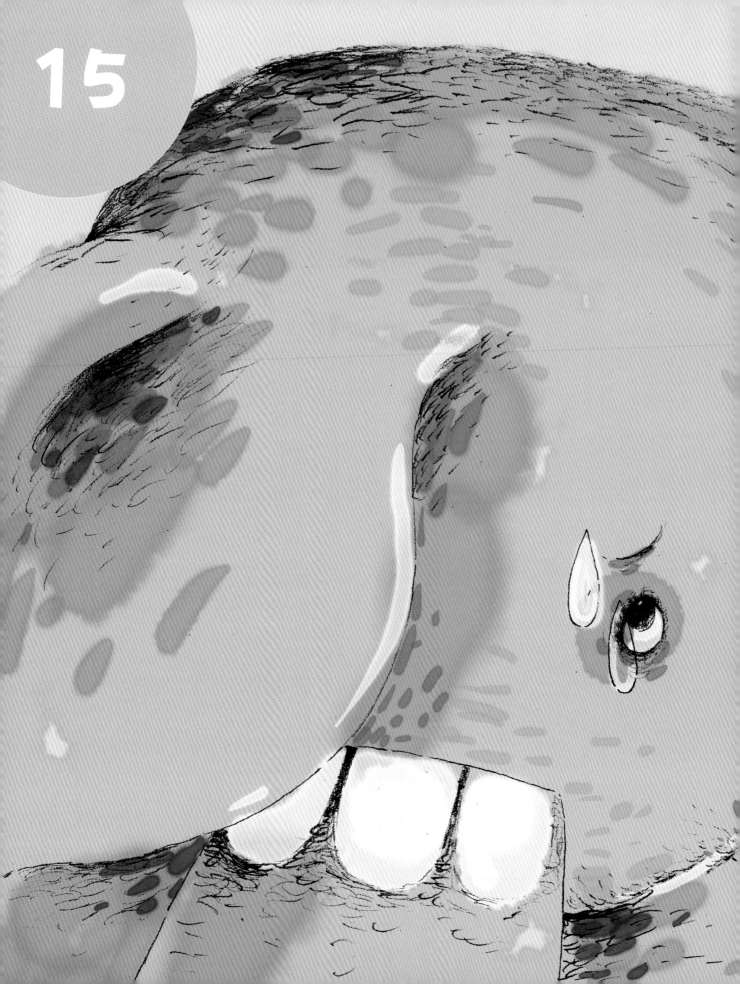

15

正在这时，两颗调皮的汗珠同时钻进了小象的两只眼睛，小象忘记了"不扇耳朵贴紧脑门儿"这回事儿，噼里啪啦地扇起了耳朵。

16

这时候，奇迹出现了：教室里吹过一股凉风，每个人都感到一阵轻松和凉爽！

18

黄莺老师一指小象，说道："小象小象你真棒，扇来清风送凉爽。快快不停扇耳朵，我要为你把歌唱！"

这真是小象大耳朵最开心的一堂课！大耳朵为他赢来了光荣和骄傲。

小象笨笨，不，小象大耳朵成了音乐课上最神气的学生！

更重要的是小猴子再也不嘲笑他了，还带几分苦恼有事没事揪自己的耳朵。

小象问他为什么揪耳朵？小猴子说道："我想把耳朵揪大点儿，也让黄莺老师唱首歌。"

小象大耳朵现在一点也不为自己的大耳朵自卑了，因为他发现自己的大耳朵真的很神气，也很有用。

听森林音乐会时，小象的座位很靠后，可小象不怕，把大耳朵支撑起来，美妙的音符和动人的歌声被大耳朵一口一口吃进耳朵眼儿。

小象笨笨，不，小象大耳朵成了音乐会上最酷炫的听众！

　　森林运动会上，跳远冠军一直是小红袋鼠，保持着8米的记录。

　　轮到小象起跳时，扇动的大耳朵像翅膀一样带着小象，不像跳远像飞翔，一下子打破了小红袋鼠的记录！小猴子跑过去量了一下，直吐舌头，说："小象小象了不起，一下跳了18米！"

　　小象笨笨，不，小象大耳朵成了运动会上最耀眼的明星！

现在的森林幼儿园，仿真的象耳朵成为最欢迎的玩具，每人一对！可小猴子有两对。为么？因为他是小象的追星族哦！

现在的小象，很神气。

他喜欢他的各种名字，电风扇、神气学生、酷炫听众、耀眼明星、大耳朵，还有笨笨！

哈哈哈，有这么多名字的小象，好开心！

【作者简介】

高洪波，笔名向川。儿童文学作家，诗人，散文家。1969 年应征入伍。中国作协副主席、中国作协儿童文学委员会主任。

代表作品：

《大象法官》等 20 余部儿童诗集；《波斯猫》等三十余部散文随笔集;《渔灯》等 20 余部幼儿童话;《鹅背驮着的童话——中外儿童文学管窥》、《说给缪斯的情话》等 4 部评论集以及诗集《心帆》等。2009 年 7 月，出版了《高洪波文集》（八卷本）。

荣获奖项：

全国优秀儿童文学奖、"五个一工程奖"、国家图书奖、庄重文文学奖、冰心奖、陈伯吹奖等。

【绘者简介】

　　吕秋梅，毕业于中央美术学院民间美术和非物质文化遗产学专业。作品曾入选国家新闻出版总署"三个一百"原创出版工程。荣获全国首届插画展出版物类最高奖、全国第四届插画展出版物类金奖。有多部图书版权输出国外。

你也可以讲一个从开心到伤心